TAPAS

TAPAS

SUSANNA TEE

p

Parragon
Queen Street House
4 Queen Street
Bath BA1 1HE, Royaume-Uni

Conception : Bridgewater Book Company Ltd

Photographe : David Jordan

Réalisation : *In*Texte Édition, Toulouse.

ISBN : 1-40544-517-3

Imprimé en Chine
Printed in China

Note

Une cuillerée à soupe correspond à 15 à 20 g d'ingrédients secs et à 15 ml d'ingrédients liquides. Une cuillerée à café correspond à 3 à 5 g d'ingrédients secs et à 5 ml d'ingrédients liquides. Sans autre précision, le lait est entier, les œufs sont de taille moyenne et le poivre est du poivre noir fraîchement moulu. Les temps de préparation et de cuisson des recettes pouvant varier, en fonction, notamment, du four utilisé, ils sont donnés à titre indicatif.

Remerciements
L'éditeur tient à remercier Corbis Images pour les images des pages 6, 8, 30, 52, 74.

SOMMAIRE

INTRODUCTION

Petits en-cas riches en saveurs, les tapas sont servis dans tous les bars d'Espagne à l'heure du déjeuner ou du dîner, souvent accompagnés de bière ou d'un verre de vin blanc bien frais. En espagnol, « tapa » signifie couvercle, et c'est par ce mot qu'étaient désignées autrefois les tranches de pain que les aubergistes plaçaient sur les verres des consommateurs afin d'éviter les intrusions d'insectes.
Les Andalous eurent l'idée d'habiller de divers ingrédients ces couvercles improvisés : les tapas étaient nés. Un assortiment de ces mets miniatures peut aisément constituer à lui seul un délicieux repas. Pour un dîner, proposez à vos invités six à huit de ces petits plats, choisis dans les quatre chapitres de cet ouvrage,

et servez-les accompagnés de grosses olives vertes, d'amandes salées et de diverses salades. Quelle que soit votre sélection, l'idée d'un repas de tapas est de partager la nourriture et les idées. Déguster des tapas, c'est célébrer l'amitié et l'hospitalité. Laissez-vous aller et profitez au mieux de cette expérience unique !

Nombre de tapas se dégustent d'une seule bouchée, et c'est le cas pour ceux décrits dans ce chapitre. Ces en-cas miniatures conviennent parfaitement pour un cocktail ou un apéritif entre amis, notamment parce qu'ils peuvent être aisément consommés avec les doigts. Savoureux et très parfumés, ils mettent l'appétit en éveil sans compromettre la dégustation de mets plus consistants.

Tranches de jambon Serrano, rondelles d'olives, chorizo, cubes de Manchego (fromage de brebis), pain à l'ail imprégné d'huile d'olive, cœurs d'artichauts, crevettes grillées, anchois et amandes salées comptent parmi les ingrédients utilisés pour ces tapas simples, proches de la véritable

PREMIÈRE PARTIE
D'UNE SEULE BOUCHÉE

tradition espagnole. Certains de ces mets se passent de recette mais constituent autant d'idées pour l'accompagnement de tapas plus élaborés.

Prenez soin d'offrir des piques à cocktail pour la dégustation de ces gourmandises, ainsi qu'une ou deux soucoupes pour la récupération des piques usagées. Dans certaines régions d'Espagne, les tapas servis en petites brochettes portent le nom de pinchos. Ils coûtent le même prix, de sorte que l'aubergiste se contente de compter les piques restant dans l'assiette lorsqu'il établit l'addition. À la fois délicieux et peu onéreux, ces pinchos sont parfaits pour un repas léger à la terrasse d'un café.

OLIVES CASSÉES À L'HUILE D'OLIVE

POUR 8 PERSONNES
dans un repas composé de tapas

450 g de grosses olives non dénoyautées en boîte ou en bocal, égouttées

4 gousses d'ail, épluchées

2 cuil. à café de graines de coriandre

1 petit citron

4 brins de thym frais

4 pluches de fenouil

2 petits piments rouges frais (facultatif)

poivre

huile d'olive vierge extra espagnole, pour la marinade

Afin de permettre aux arômes de la marinade de pénétrer dans les olives, les concasser légèrement à l'aide d'un maillet jusqu'à ce qu'elles se fendent. À défaut, pratiquer une entaille profonde sur chaque olive – jusqu'au noyau – à l'aide d'un couteau tranchant. Avec le plat d'un couteau, écraser légèrement les gousses d'ail. Piler les graines de coriandre dans un mortier et couper le citron en morceaux, sans l'éplucher.

Les olives peuvent se conserver plusieurs mois au réfrigérateur. En fait, plus vous les laisserez mariner et plus elles seront parfumées. Vous pouvez utiliser l'huile dans laquelle elles ont marinées pour la préparation d'un plat ou d'une salade. Cela leur donnera une saveur délicieuse.

Mettre les olives, l'ail, les graines de coriandre, le citron, le thym, le fenouil et, éventuellement, les piments dans une terrine, et bien mélanger. Poivrer, mais il est inutile de saler car les olives en boîte sont en général suffisamment salées. Verser la préparation dans un bocal en verre muni d'un couvercle. Ajouter assez d'huile d'olive pour couvrir les olives et fermer hermétiquement le bocal.

Avant de les consommer, laisser les olives mariner à température ambiante 24 heures, puis au réfrigérateur au moins 1 à 2 semaines, en secouant le bocal de temps en temps. Sortir les olives du bocal et retirer l'huile. Servir à température ambiante et présenter des piques à cocktail pour les manger.

AMANDES SALÉES

POUR 6 À 8 PERSONNES
dans un repas composé de tapas

225 g d'amandes, mondées ou non (*voir* recette)

4 cuil. à soupe d'huile d'olive espagnole

gros sel

1 cuil. à café de paprika ou de cumin en poudre cumin (facultatif)

Préchauffez le four à 180 °C (th. 6). Les amandes fraîches avec leur peau sont meilleures mais les amandes mondées sont plus pratiques à utiliser. Si elles ne sont pas mondées, les mettre dans une terrine et les couvrir d'eau bouillante. Après 3 à 4 minutes, les plonger dans l'eau froide 1 minute et bien les égoutter. Frotter les amandes avec les doigts pour les peler et les sécher avec du papier absorbant.

Verser l'huile d'olive dans un plat allant au four et bien l'étaler sur le fond. Ajouter les amandes, remuer pour bien les enrober d'huile et les étaler en une seule couche.

Cuire les amandes au four, environ 20 minutes, jusqu'à ce qu'elles soient légèrement dorées, en remuant de temps en temps. Égoutter les amandes sur du papier absorbant, et les transférer dans un bol ou une coupe.

Pendant qu'elles sont chaudes, saupoudrer les amandes de sel et, éventuellement, de paprika ou de cumin, et bien mélanger. Servir chaud ou froid. Les amandes salées sont meilleures lorsqu'elles viennent d'être préparées. Il vaut donc mieux les servir le jour même. Elles peuvent toutefois se conserver jusqu'à 3 jours dans un récipient hermétique.

LES AMANDES AINSI PRÉPARÉES SONT LES PLUS PRISÉES DES FRUITS SECS SERVIS EN TAPAS EN ESPAGNE. LES NOISETTES, ELLES AUSSI APPRÉCIÉES, PEUVENT ÊTRE SALÉES, DE MÊME QUE LES CERNEAUX DE NOIX, LES PISTACHES, LES CACAHUÈTES ET LES NOIX DE CAJOU.

CHAMPIGNONS SAUTÉS À L'AIL

POUR 6 PERSONNES
dans un repas composé de tapas

450 g de champignons de Paris

5 cuil. à soupe d'huile d'olive espagnole

2 gousses d'ail, hachées

un filet de jus de citron

sel et poivre

4 cuil. à soupe de persil plat frais haché

pain frais, en accompagnement

Essuyer ou brosser les champignons, et couper complètement les pieds. Couper les gros champignons en deux ou en quatre. Chauffer l'huile d'olive dans une grande poêle à fond épais, ajouter l'ail et faire revenir 30 secondes à 1 minute, jusqu'à ce qu'il soit doré. Ajouter les champignons et faire revenir à feu vif, sans cesser de remuer, jusqu'à ce qu'ils aient entièrement absorbé l'huile.

Réduire le feu et, lorsque les champignons ont exprimé leur jus, remettre à feu vif et cuire encore 4 à 5 minutes, jusqu'à ce que le jus soit complètement évaporé. Ajouter le jus de citron, saler et poivrer. Incorporer le persil et cuire encore 1 minute.

Transférer la préparation dans un plat de service chaud et servir immédiatement. Accompagner les champignons sautés de tranches de pain frais pour saucer les sucs de cuisson et l'ail.

VOUS POUVEZ REMPLACER LES CHAMPIGNONS DE CULTURE PAR DES CHAMPIGNONS SAUVAGES TELS QUE LES CÈPES OU LES CHANTERELLES. VOUS POUVEZ ÉGALEMENT PRÉPARER DES COURGETTES DE LA MÊME MANIÈRE EN FAISANT DORER DANS L'HUILE UN PETIT OIGNON HACHÉ AVANT DE FAIRE REVENIR L'AIL.

TOMATES COCKTAIL FARCIES

POUR 8 PERSONNES
dans un repas composé de tapas

24 tomates cocktail

Farce aux anchois et aux olives

50 g de filets d'anchois à l'huile en boîte

8 olives vertes farcies au piment, finement émincées

2 gros œufs durs, hachés

poivre

OU

Farce au crabe

170 g de chair de crabe en boîte, égouttée

4 cuil. à soupe de mayonnaise

1 cuil. à soupe de persil plat frais haché

OU

Farce aux olives noires et aux câpres

12 olives noires non dénoyautées

3 cuil. à soupe de câpres

6 cuil. à soupe d'aïoli (*voir* page 92)

Différentes recettes de farce étant décrites ici, il est possible de n'en utiliser qu'une ou de les panacher. Il suffit simplement de prévoir la quantité de farce correspondant au nombre de tomates à farcir avec chaque préparation.

Pour que les tomates restent stables, couper éventuellement une rondelle très fine à la base. Couper une seconde rondelle très fine sur le haut des tomates. À l'aide d'un couteau à dents ou d'une cuillère à café, évider les tomates et jeter la pulpe retirée. Retourner les tomates sur du papier absorbant et laisser égoutter 5 minutes.

Pour la farce aux anchois et aux olives, égoutter les anchois en réservant l'huile, les émincer finement et les mettre dans une terrine. Ajouter les olives et les œufs durs. Incorporer un filet d'huile réservée pour lier la préparation, poivrer (ne pas ajouter de sel, car les anchois sont suffisamment salés) et bien mélanger.

Pour la farce au crabe, bien mélanger la chair de crabe, la mayonnaise et le persil dans une terrine. Saler et poivrer selon son goût.

Pour la farce aux olives noires et aux câpres, égoutter soigneusement les olives et les câpres sur du papier absorbant, les hacher finement et les mettre dans une terrine. Incorporer l'aïoli et bien mélanger. Saler et poivrer selon son goût.

Transférer la farce de son choix dans une poche à douille munie d'un embout de 2 cm et farcir les tomates évidées. Réfrigérer les tomates jusqu'au moment de les servir.

LES TOMATES COCKTAIL, TRÈS PETITES, CORRESPONDENT À UNE BOUCHÉE. VOUS POUVEZ LES REMPLACER PAR DES TOMATES PLUS GROSSES. LES QUANTITÉS INDIQUÉES ICI PERMETTENT DE FARCIR ENVIRON 10 TOMATES DE TAILLE MOYENNE.

CROÛTONS AILLÉS & CHORIZO

POUR 6 À 8 PERSONNES
dans un repas composé de tapas

200 g de chorizo, pelé

4 tranches épaisses de pain de campagne légèrement rassis (2 jours)

huile d'olive espagnole, pour la friture

3 gousses d'ail, finement hachées

2 cuil. à soupe de persil plat frais haché

paprika, en garniture

Couper le chorizo en rondelles d'environ 1 cm d'épaisseur, puis le pain, en conservant la croûte, en cubes de 1 cm. Verser suffisamment d'huile dans une grande poêle pour couvrir largement le fond. Chauffer l'huile, ajouter l'ail et faire frire 30 secondes à 1 minute, jusqu'à ce qu'il soit doré. Ajouter les cubes de pain et frire, sans cesser de remuer, jusqu'à ce qu'ils soient dorés et croustillants. Incorporer le chorizo et frire encore 1 à 2 minutes, jusqu'à ce qu'il soit chaud. Retirer les croûtons de la poêle à l'aide d'une écumoire et les égoutter soigneusement sur du papier absorbant.

Transférer la préparation dans un plat de service, ajouter le persil haché et bien mélanger. Garnir le plat d'un peu de paprika et servir chaud. Présenter avec des piques à cocktail suffisamment longues pour que l'on puisse piquer en même temps un croûton et une rondelle de chorizo.

CHOISISSEZ UN CHORIZO PLUTÔT DOUX POUR CETTE RECETTE CAR, BIEN QUE N'AYANT PAS ÉTÉ AFFINÉES LONGTEMPS, LES VARIÉTÉS DOUCES SONT PLUS GRASSES QUE LES AUTRES, CE QUI LES REND IDÉALES POUR LA CUISSON. VOUS POUVEZ REMPLACER LE CHORIZO PAR DU JAMBON SERRANO ÉPAIS COUPÉ EN CUBES OU MÊME DU SAUCISSON À L'AIL.

SALADE DE MELON, CHORIZO & ARTICHAUTS

POUR 8 PERSONNES
dans un repas composé de tapas

12 petits cœurs d'artichauts

jus d'un demi-citron

2 cuil. à soupe d'huile d'olive espagnole

1 petit melon cantaloup

200 g de chorizo, pelé

quelques brins d'estragon ou de persil plat, en garniture

Assaisonnement

3 cuil. à soupe d'huile d'olive vierge extra espagnole

1 cuil. à soupe de vinaigre de vin rouge

1 cuil. à café de moutarde de Dijon

1 cuil. à soupe d'estragon frais haché

sel et poivre

Pour les artichauts, couper la tige et retirer toutes les feuilles extérieures dures, jusqu'à dégager les feuilles tendres. À l'aide de ciseaux, couper la pointe des feuilles (environ un tiers de la partie supérieure) et, à l'aide d'un couteau tranchant, couper le pédoncule à la base des artichauts. Badigeonner les surfaces coupées des artichauts de jus de citron pour les empêcher de noircir, ou remplir une terrine d'eau froide additionnée d'un peu de jus de citron et y plonger les artichauts. Retirer délicatement le foin en le tirant avec la main ou à l'aide d'une cuillère. Il est essentiel d'enlever la totalité du foin car, ingérés, les petits poils restants risquent d'irriter la gorge. Toutefois, si les artichauts sont très jeunes, il est inutile de retirer le foin car il est encore très tendre. Couper les artichauts en quatre et les badigeonner de nouveau de jus de citron.

Chauffer l'huile d'olive dans une grande poêle à fond épais et y ajouter les artichauts. Faire revenir 5 minutes, en remuant fréquemment, jusqu'à ce qu'ils soient dorés. Retirer les artichauts de la poêle, transférer dans un grand saladier et laisser refroidir.

Pour le melon, le couper en deux et retirer les graines à l'aide d'une cuillère. Découper la pulpe en cubes et les ajouter aux artichauts refroidis dans le saladier. Couper le chorizo en petits morceaux et les incorporer dans le saladier.

Pour l'assaisonnement, bien mélanger tous les ingrédients dans un bol. Juste avant de servir, verser l'assaisonnement sur la salade et mélanger. Garnir la salade de brins d'estragon ou de persil et servir.

SI VOUS NE TROUVEZ PAS D'ARTICHAUTS FRAIS, VOUS POUVEZ LES REMPLACER PAR 400 G DE CŒURS D'ARTICHAUTS EN BOÎTE. ÉGOUTTEZ-LES SOIGNEUSEMENT ET COUPEZ-LES EN DEUX OU EN QUATRE. VOUS POUVEZ ÉGALEMENT REMPLACER LE CHORIZO PAR DU JAMBON SERRANO ÉPAIS ÉMINCÉ.

CAVIAR D'AUBERGINE & DE POIVRON

POUR 6 À 8 PERSONNES
dans un repas composé de tapas

2 grosses aubergines

2 poivrons rouges

4 cuil. à soupe d'huile d'olive espagnole

2 gousses d'ail, hachées

zeste et jus d'un demi-citron

1 cuil. à soupe de coriandre fraîche hachée et quelques brins en garniture

1/2 à 1 cuil. à café de paprika

pain frais ou grillé, en accompagnement

Préchauffer le four à 190 °C (th. 6-7). Piquer la peau des aubergines et des poivrons à l'aide d'une fourchette et badigeonner d'une cuillerée d'huile d'olive. Disposer sur une grille et cuire au four, 45 minutes, jusqu'à ce que la peau des légumes commence à noircir, que la pulpe des aubergines soit très tendre et les poivrons ramollis.

Quand les légumes sont cuits, les mettre dans une terrine et couvrir immédiatement d'un torchon propre et humide, ou les enfermer dans un sac en plastique. Laisser les légumes reposer environ 15 minutes, jusqu'à ce qu'ils soient suffisamment refroidis pour être manipulés.

Quand les légumes ont refroidi, couper les aubergines en deux dans le sens de la longueur, les évider délicatement et jeter la peau. Couper la pulpe en gros morceaux. Retirer et jeter la tige et le trognon des poivrons. Les épépiner et couper la pulpe en gros morceaux.

Chauffer l'huile d'olive restante dans une poêle à fond épais, ajouter la pulpe d'aubergine et les morceaux de poivron, et faire revenir 5 minutes. Incorporer l'ail et cuire encore 30 secondes.

Verser le contenu de la poêle sur du papier absorbant, puis le transférer dans un mixeur ou un robot de cuisine. Ajouter le zeste et le jus de citron, la coriandre hachée et le paprika. Saler, poivrer et mixer jusqu'à obtention d'une purée épaisse.

Transférer le caviar d'aubergine et de poivron dans un plat de service et servir chaud ou tiède. Ou laisser refroidir 30 minutes, réfrigérer au moins 1 heure et servir froid. Garnir de brins de coriandre et servir sur des tranches de pain frais ou grillé.

Vous pouvez également préparer les aubergines et les poivrons en les passant au gril, jusqu'à ce que la peau soit entièrement noircie. Il faut compter environ 10 minutes et retourner les légumes fréquemment. Ce caviar d'aubergine et de poivron est également délicieux servi avec de la viande froide.

CREVETTES GRÉSILLANTES AU PIMENT

POUR 8 PERSONNES
dans un repas composé de tapas

500 g de crevettes tigrées non décortiquées

1 petit piment rouge frais

6 cuil. à soupe d'huile d'olive espagnole

2 gousses d'ail, finement hachées

une pincée de paprika

sel

pain frais, en accompagnement

Pour les crevettes, retirer la tête et les décortiquer en conservant la queue intacte. À l'aide d'un couteau tranchant, pratiquer une incision le long du dos de chaque crevette et retirer la veine noire. Rincer les crevettes sous l'eau froide et les sécher soigneusement sur du papier absorbant.

Couper le piment en deux dans le sens de la longueur, l'épépiner et hacher finement la pulpe. Il est important de porter des gants ou de se laver très soigneusement les mains après avoir manipulé le piment car son jus peut irriter les peaux sensibles, particulièrement autour des yeux, du nez et de la bouche. Il faut absolument éviter de se frotter les yeux après l'avoir touché. Chauffer l'huile d'olive dans une grande poêle à fond épais ou une cocotte, ajouter l'ail et faire frire 30 secondes. Ajouter les crevettes, le piment, le paprika et une pincée de sel, et frire 2 à 3 minutes, sans cesser de remuer, jusqu'à ce que les crevettes commencent à s'incurver.

Servir les crevettes encore grésillantes dans la poêle ou la cocotte. Présenter des piques à cocktail et du pain frais pour saucer.

CE QUI CARACTÉRISE CE PLAT, C'EST QUE LES CREVETTES SONT SERVIES VRAIMENT TRÈS CHAUDES – D'OÙ LE NOM DE CETTE RECETTE –, DIRECTEMENT DANS LA POÊLE OU LA COCOTTE. L'HUILE DOIT ÊTRE ENCORE GRÉSILLANTE ET ON SERT GÉNÉRALEMENT, AVEC CE PLAT, UNE ASSIETTE DE PAIN POSÉE SUR LA POÊLE OU LA COCOTTE.

BOUCHÉES DE MANCHEGO FRITES

POUR 6 À 8 PERSONNES
dans un repas composé de tapas

200 g de Manchego

3 cuil. à soupe de farine

sel et poivre

1 œuf

1 cuil. à café d'eau

85 g de chapelure

huile de tournesol, pour la friture

Découper le fromage en triangles ou en cubes d'environ 2 cm d'épaisseur. Verser la farine dans un sac en plastique, saler et poivrer. Casser l'œuf dans un plat peu profond et le battre avec 1 cuillerée à café d'eau. Étaler la chapelure sur une assiette.

Ajouter les morceaux de fromage dans le sac en plastique, secouer jusqu'à ce qu'ils soient bien farinés, et les plonger dans l'œuf battu. Rouler soigneusement les morceaux de fromage dans la chapelure, les transférer dans un plat et les réserver au réfrigérateur.

Juste avant de servir, chauffer à 180-190 °C, environ 2,5 cm d'huile de tournesol dans une grande poêle à fond épais ou une friteuse, un dé de pain doit y dorer en 30 secondes. Plonger le fromage par fournées de 4 ou 5 morceaux, pour que l'huile reste bien chaude, et frire 1 à 2 minutes, jusqu'à ce qu'il commence à fondre et que les bouchées soient bien dorées. Veiller à ce que l'huile reste bien chaude, faute de quoi la panure des bouchées ne serait pas saisie et le fromage risquerait de s'écouler dans l'huile.

Retirer les bouchées frites de la poêle ou de la friteuse, à l'aide d'une écumoire, et les égoutter soigneusement sur du papier absorbant. Servir chaud et présenter des piques à cocktail pour attraper les bouchées.

LE MANCHEGO EST LE PLUS CONNU DES FROMAGES ESPAGNOLS. IL EST VENDU À DIFFÉRENTS STADES DE MATURATION, MAIS ON TROUVE SURTOUT LE PLUS AFFINÉ QUI EST AUSSI LE PLUS PARFUMÉ.
LE MANCHEGO PLUS DOUX, PARCE QUE PLUS FRAIS, EST RAREMENT VENDU HORS D'ESPAGNE. D'AUTRES FROMAGES, TELS QUE LE CHEDDAR, LA MOZZARELLA OU LE FROMAGE DE CHÈVRE, PEUVENT ÉGALEMENT CONVENIR À LA PRÉPARATION DE CETTE RECETTE.

CHORIZO AU VIN ROUGE

POUR 6 PERSONNES
dans un repas composé de tapas

200 g de chorizo

200 ml de vin rouge espagnol

2 cuil. à soupe de cognac (facultatif)

persil plat frais haché, en garniture

pain frais, en accompagnement

Ne pas oublier, avant de commencer, que ce plat est meilleur lorsqu'il est préparé la veille.

Piquer le chorizo en 3 ou 4 endroits à l'aide d'une fourchette. Le mettre dans une grande casserole, mouiller avec le vin rouge et porter à ébullition. Réduire le feu, couvrir et laisser frémir 15 à 20 minutes à feu doux. Transférer le chorizo et le vin dans une terrine ou un plat et laisser mariner 8 heures ou toute une nuit.

Le lendemain, retirer le chorizo de la terrine ou du plat et réserver la marinade. Peler le chorizo et le couper en rondelles de 5 mm d'épaisseur. Mettre les rondelles dans une grande poêle à fond épais ou une cocotte.

Mettre, éventuellement, le cognac dans une petite casserole et chauffer à feu doux. Verser le cognac sur les rondelles de chorizo et flamber en veillant à se tenir à bonne distance. Quand la flamme s'est éteinte, secouer doucement la poêle, ajouter la marinade réservée et chauffer à feu vif, jusqu'à ce que le vin soit entièrement évaporé.

Parsemer la préparation de persil et servir le chorizo au vin rouge très chaud, dans la poêle ou la cocotte. Accompagner de tranches ou de morceaux de pain pour saucer et de piques à cocktail pour attraper les rondelles de chorizo.

VOUS POUVEZ, DE LA MÊME MANIÈRE, PRÉPARER CE PLAT AVEC DE PETITS CHORIZOS INDIVIDUELS, EN LES LAISSANT ENTIERS APRÈS LES AVOIR PELÉS. VOUS POUVEZ ÉGALEMENT REMPLACER LE VIN ROUGE PAR DU CIDRE, CE QUI EST RÉGULIÈREMENT FAIT DANS LE NORD DE L'ESPAGNE.

Les produits de la mer sont une des fiertés espagnoles. Ils sont consommés en grandes quantités et il suffit de se rendre sur un marché d'une grande ville pour découvrir leur prodigieuse diversité. Appréciées dans toute l'Espagne, les crevettes figurent presque toujours au nombre des tapas proposés dans les bars et restaurants. Dans le Nord, les moules sont couramment utilisées, tandis que le poisson frit est un ingrédient de base dans nombre de bars à tapas des provinces du Sud. Les recettes de gambas au citron vert et de moules farcies au beurre d'ail présentées dans ce chapitre illustrent ces préférences.

DEUXIÈME PARTIE
TAPAS DE LA MER

La place de choix des crevettes est encore plus évidente dans les établissements traditionnels, où les tapas sont presque toujours dégustés avec les doigts. Les crevettes y sont décortiquées avec enthousiasme, et leur cuticule jetée au sol en même temps que pelures de citron, piques à cocktail et serviettes en papier.

Un mot sur la préparation du poisson : attention à ne pas trop prolonger sa cuisson afin de bien conserver l'arôme et la tendreté de la chair. Les mets décrits dans ce chapitre peuvent tous être servis en tant qu'entrée élégante et savoureuse d'un repas traditionnel. Si tel est le cas, divisez par deux le nombre de convives indiqué dans la recette.

THON AUX OLIVES FARCIES AU PIMENT

POUR 6 PERSONNES
dans un repas composé de tapas

2 steaks de thon frais d'environ 2,5 cm d'épaisseur (450 g en tout)

5 cuil. à soupe d'huile d'olive espagnole

3 cuil. à soupe de vinaigre de vin rouge

4 brins de thym frais, quelques brins pour garnir

1 feuille de laurier

sel et poivre

2 cuil. à soupe de farine

1 oignon, finement haché

2 gousses d'ail, finement hachées

85 g d'olives vertes farcies au piment, émincées

pain frais, en accompagnement

Préparer cette recette la veille car le thon doit avoir le temps de mariner. Retirer la peau du thon, couper les morceaux en deux dans le sens de la fibre et recouper chaque morceau en lamelles de 1 cm d'épaisseur dans le sens contraire à la fibre.

Verser 3 cuillerées à soupe d'huile d'olive et le vinaigre dans un plat non métallique peu profond. Effeuiller le thym, le mettre dans le plat avec la feuille de laurier, et saler et poivrer. Ajouter les lamelles de thon, couvrir le plat et laisser mariner 8 heures ou toute une nuit.

Le lendemain, mettre la farine dans un sac en plastique et retirer le thon de la marinade. Réserver la marinade et mettre le thon dans le sac en plastique. Secouer le sac jusqu'à ce que le poisson soit bien fariné.

Chauffer l'huile dans une grande poêle à fond épais, ajouter l'oignon et l'ail, et faire revenir 5 à 10 minutes à feu doux, jusqu'à ce qu'ils soient tendres et dorés. Ajouter le thon dans la poêle et faire revenir 2 à 5 minutes, en remuant plusieurs fois, jusqu'à ce que le poisson devienne opaque. Ajouter la marinade réservée et les olives, et cuire encore 1 à 2 minutes sans cesser de remuer, jusqu'à ce que le poisson soit tendre et que la sauce épaississe.

Garnir le thon aux olives de brins de thym et servir très chaud. Accompagner de tranches de pain frais pour saucer.

IL EST DÉSORMAIS TRÈS FACILE DE TROUVER DU THON FRAIS. SA CHAIR EST FERME ET IL A UN GOÛT DÉLICIEUX. VOUS POUVEZ LE FAIRE GRILLER, FRIRE, BRAISER OU CUIRE AU FOUR, ET LE DÉGUSTER EXACTEMENT DE LA MÊME MANIÈRE QUE DU THON EN BOÎTE.

Pour réussir parfaitement ces croquettes, vous devez absolument réfrigérer la préparation avant de les faire frire. Ainsi, elles ne risquent pas de se désagréger quand vous les plongerez dans l'huile. À noter que l'Espagne est le plus gros producteur de câpres au monde.

CROQUETTES DE POISSON AUX CÂPRES

POUR 12 CROQUETTES

- 350 g de filets de poisson frais (cabillaud, églefin ou lotte)
- 300 ml de lait
- sel et poivre
- 4 cuil. à soupe d'huile d'olive ou 55 g de beurre
- 4 cuil. à soupe de câpres, grossièrement hachées
- 1 cuil. à café de paprika
- 1 gousse d'ail, hachée
- 1 cuil. à café de jus de citron
- 3 cuil. à soupe de persil plat frais haché, quelques brins en garniture
- 1 œuf, battu
- 55 g de chapelure fraîche
- 1 cuil. à soupe de graines de sésame
- huile de tournesol, pour la friture
- quartiers de citron, en garniture
- mayonnaise, en accompagnement

Mettre le poisson dans une poêle à fond épais. Mouiller avec le lait, saler et poivrer. Porter à ébullition, réduire le feu, couvrir et laisser mijoter 8 à 10 minutes à feu doux, jusqu'à ce que le poisson soit tendre et qu'une fourchette puisse y être piquée facilement. À l'aide d'une écumoire, retirer le poisson de la poêle. Réserver le lait de cuisson dans une terrine. Émietter le poisson et retirer les arêtes.

Chauffer l'huile d'olive ou le beurre dans une casserole. Incorporer la farine pour obtenir une pâte et cuire 1 minute en remuant. Retirer du feu et ajouter progressivement le lait réservé, sans cesser de remuer, jusqu'à obtention d'une sauce homogène. Remettre sur le feu et porter à ébullition à feu doux, en remuant de temps en temps, jusqu'à ce que la sauce épaississe. Retirer du feu, ajouter les miettes de poisson et mélanger.

Incorporer les câpres, le paprika, l'ail, le jus de citron et le persil, saler et poivrer. Verser la préparation dans un plat et laisser refroidir. Mettre au réfrigérateur 2 à 3 heures ou une nuit. Mettre l'œuf battu dans une assiette, la chapelure et les graines de sésame mélangées dans une autre. Diviser la préparation à base de poisson en 12 portions. Avec les mains farinées, façonner des rouleaux d'environ 7,5 cm de longueur. Tremper chaque rouleau dans l'œuf battu et dans la chapelure pour bien les enrober. Disposer les croquettes dans une assiette et réfrigérer environ 1 heure. Chauffer l'huile dans une friteuse à 180-190 °C, un dé de pain doit y dorer en 30 secondes. Plonger les croquettes dans l'huile par fournées et frire 3 minutes, jusqu'à ce qu'elles soient dorées et croustillantes. Retirer les croquettes de la friteuse à l'aide d'une écumoire et les égoutter sur du papier absorbant.

Garnir de quartiers de citron et de brins de persil, et servir très chaud. Présenter les croquettes accompagnées d'un bol de mayonnaise.

BROCHETTES DE ROMARIN À LA LOTTE ET AU LARD

POUR 12 BROCHETTES

350 g de queue de lotte ou 250 g de filet

12 brins de romarin frais

3 cuil. à soupe d'huile d'olive espagnole

jus d'un demi-citron

1 gousse d'ail, hachée

sel et poivre

6 tranches de lard fumé

quartiers de citron, en garniture

aïoli (*voir* page 92), en accompagnement

Découper la queue de lotte de chaque côté de l'arête centrale et lever les 2 filets. Couper les filets en deux dans le sens de la longueur, puis recouper chaque morceau en cubes de façon à obtenir 24 morceaux en tout. Mettre ces morceaux dans une grande terrine.

Pour les brochettes de romarin, effeuiller les brins en conservant quelques feuilles à une extrémité et en réservant les autres.

Pour la marinade, hacher finement les feuilles de romarin réservées et les mélanger dans une terrine avec l'huile d'olive, le jus de citron et l'ail. Saler et poivrer. Incorporer les cubes de lotte et mélanger pour qu'ils soient imprégnés de marinade. Couvrir et laisser mariner au réfrigérateur 1 à 2 heures.

Couper chaque tranche de lard en deux dans le sens de la longueur et de nouveau en deux dans la largeur. Rouler chaque morceau de lard. Piquer alternativement sur les brochettes de romarin deux cubes de lotte et deux rouleaux de lard.

Préchauffer le gril d'un four ou un barbecue. Si les brochettes doivent cuire au gril, disposer sur la grille du four de sorte que les feuilles restant à leur extrémité dépassent du four et ne prennent pas feu pendant la cuisson. Faire griller les brochettes 10 minutes, en les retournant et en les arrosant de marinade de temps en temps, jusqu'à ce qu'elles soient cuites.

Servir les brochettes chaudes, accompagnées de quartiers de citron pour les saisir et d'un bol d'aïoli.

La lotte convient parfaitement à la confection de brochettes car sa chair est ferme ; toutefois d'autres poissons à chair ferme peuvent également être utilisés tels que cabillaud, espadon ou thon. Vous pouvez remplacer les brochettes de romarin par des brochettes traditionnelles en métal ou en bois. Ces dernières doivent cependant tremper 30 minutes dans l'eau froide pour ne pas brûler pendant la cuisson.

CALMARS

POUR 6 PERSONNES
dans un repas composé de tapas

450 g de calmars (*voir* note)

farine

huile de tournesol, pour la friture

sel

quartiers de citron, en garniture

aïoli (*voir* page 92), en accompagnement

Découper les calmars en anneaux de 1 cm et les tentacules en deux si elles sont grosses. Rincer et sécher soigneusement les calmars sur du papier absorbant afin qu'ils ne fasse pas gicler l'huile pendant la friture. Fariner légèrement les calmars sans saler la farine. Les Espagnols affirment que saler les calmars avant la cuisson les rend caoutchouteux. Et ils savent de quoi ils parlent !

Chauffer l'huile de tournesol dans une friteuse à 180-190 °C, un dé de pain doit y dorer en 30 secondes. Plonger les anneaux de calmars dans l'huile par fournées pour éviter que la température de l'huile ne chute et frire 2 à 3 minutes, en les retournant de temps en temps, jusqu'à ce qu'ils soient dorés et croustillants. Ne pas les cuire trop longtemps car ils deviendraient durs et caoutchouteux au lieu d'être tendres et moelleux.

Retirer les calmars de la friteuse à l'aide d'une écumoire et les égoutter soigneusement sur du papier absorbant. Réserver les calmars déjà frits dans un four chaud pendant la cuisson des suivants.

Saler les calmars, garnir de quartiers de citron pour les saisir et servir très chaud. Présenter les calmars accompagnés d'un bol d'aïoli.

ON TROUVE LES CALMARS DÉJÀ PRÉPARÉS ET DÉCOUPÉS EN ANNEAUX. SI VOUS DEVEZ LES PRÉPARER VOUS-MÊME, TENEZ LE CORPS DU CALMAR DANS UNE MAIN ET TIREZ SUR LA TÊTE ET LES TENTACULES DE L'AUTRE. L'INTÉRIEUR DU CORPS SORTIRA EN MÊME TEMPS ET POURRA ÊTRE JETÉ. COUPEZ LA PARTIE COMESTIBLE DES TENTACULES JUSTE AU-DESSUS DES YEUX ET JETEZ LA TÊTE. RETIREZ LA POCHE À ENCRE AVEC PRÉCAUTION EN VEILLANT À NE PAS LA PERCER ET CONSERVEZ-LA ÉVENTUELLEMENT POUR PRÉPARER UN AUTRE PLAT. ENFIN, RETIREZ L'OS ET RETIREZ LA FINE PELLICULE EXTERNE SOMBRE.

SARDINES MARINÉES AU VINAIGRE DE XÉRÈS

POUR 6 PERSONNES
dans un repas composé de tapas

12 petites sardines fraîches

175 ml d'huile d'olive espagnole

4 cuil. à soupe de vinaigre de xérès

2 carottes, en julienne

1 oignon, finement émincé

1 gousse d'ail, hachée

1 feuille de laurier

sel et poivre

4 cuil. à soupe de persil plat frais haché

quelques brins d'aneth frais, en garniture

quartiers de citron, en accompagnement

Si ce n'est pas déjà fait, écailler les sardines avec un couteau en veillant à ne pas percer la peau. Au choix, couper la tête et la queue ou les conserver. Pratiquer une entaille sur le ventre de chaque sardine, retirer les viscères sous l'eau courante froide et les sécher soigneusement sur du papier absorbant.

Chauffer 4 cuillerées à soupe d'huile d'olive dans une grande poêle à fond épais. Ajouter les sardines et frire 10 minutes, jusqu'à ce qu'elles soient dorées des deux côtés. À l'aide d'une pelle à poisson, retirer très délicatement les sardines de la poêle et les disposer en une seule couche dans un grand plat non métallique peu profond.

Chauffer l'huile d'olive restante et le vinaigre dans une grande casserole à feu doux, ajouter la julienne de carottes, l'oignon, l'ail et la feuille de laurier, et laisser frémir 5 minutes, jusqu'à ce que les légumes soient tendres. Saler et poivrer la préparation, laisser tiédir et verser sur les sardines.

Couvrir le plat et laisser les sardines refroidir avant de les mettre au réfrigérateur. Laisser mariner environ 8 heures ou toute une nuit, en arrosant de temps en temps les sardines de marinade (il n'est cependant pas nécessaire de se lever au milieu de la nuit !). Porter les sardines à température ambiante avant de les servir. Parsemer de persil, garnir de brins d'aneth et servir accompagné de quartiers de citron.

LES FILETS DE TRUITE OU DE SAUMON FRAIS PEUVENT ÊTRE PRÉPARÉS DE LA MÊME MANIÈRE. MAIS, IL EST PRÉFÉRABLE DE LES CUIRE 5 MINUTES À LA VAPEUR PLUTÔT QUE DE LES FAIRE FRIRE. LORSQU'ILS SONT CUITS, COUPEZ CHAQUE FILET EN DEUX DANS LE SENS DE LA LONGUEUR. IL FAUT 6 FILETS POUR RÉALISER CETTE RECETTE.

SAUMON FRAIS À LA SAUCE MOJO

POUR 8 PERSONNES
dans un repas composé de tapas

4 filets de saumon frais (environ 750 g en tout)

sel et poivre

3 cuil. à soupe d'huile d'olive espagnole

1 brin de persil plat frais, en garniture

Sauce mojo

2 gousses d'ail, épluchées

2 cuil. à café de paprika

1 cuil. à café de cumin en poudre

5 cuil. à soupe d'huile d'olive vierge extra espagnole

2 cuil. à soupe de vinaigre de vin blanc

sel

Pour la sauce mojo, mettre l'ail, le paprika et le cumin dans un robot de cuisine équipé d'une lame métallique et mixer 1 minute. Moteur en marche, ajouter progressivement l'huile d'olive. Quand elle est incorporée, racler les parois du bol à l'aide d'une spatule, puis continuer d'ajouter l'huile très progressivement, en un mince filet, jusqu'à ce que l'huile soit entièrement incorporée et que la sauce épaississe. Ajouter le vinaigre, mélanger encore 1 minute et saler.

Pour le saumon, retirer la peau, couper les filets en deux puis les recouper dans le sens de la longueur en lanières de 2 cm d'épaisseur. Retirer les arêtes et saler et poivrer le poisson.

Chauffer l'huile d'olive dans une grande poêle à fond épais. Quand elle est chaude, ajouter les lanières de poisson et frire 10 minutes, selon leur épaisseur, en les retournant de temps en temps, jusqu'à ce qu'elles soient cuites et dorées. Transférer le saumon dans un plat de service chaud, napper de sauce mojo et garnir de persil. Servir chaud et accompagner du reste de sauce dans un petit bol.

La sauce mojo est aussi connue sous le nom de sauce rouge des Canaries, d'où elle est originaire. Quand elle est préparée sans paprika mais avec de la coriandre fraîche hachée, on la nomme sauce verte des Canaries. Elle est également délicieuse servie avec des pommes de terre cuites à l'eau.

NOIX DE SAINT-JACQUES AU SAFRAN

POUR 8 PERSONNES
dans un repas composé de tapas

150 ml de vin blanc sec

150 ml de fumet de poisson

une grosse pincée de filaments de safran

900 g de noix de Saint-Jacques sans leurs coquilles, de préférence grosses

sel et poivre

3 cuil. à soupe d'huile d'olive espagnole

1 petit oignon, finement haché

2 gousses d'ail, finement hachées

150 ml de crème fraîche épaisse

un filet de jus de citron

persil plat frais haché, en garniture

pain frais, en accompagnement

Mettre le vin, le fumet de poisson et le safran dans une casserole et porter à ébullition. Réduire le feu, couvrir et laisser frémir 15 minutes.

Parer les noix de Saint-Jacques en retirant le pied, le muscle opposé au corail, et séparer le corail et la noix. Émincer les noix dans la hauteur en lamelles, de même que le corail. Sécher les lamelles sur du papier absorbant et saler et poivrer.

Chauffer l'huile d'olive dans une poêle à fond épais, ajouter l'oignon et l'ail, et faire revenir 5 minutes, jusqu'à ce qu'ils soient tendres et dorés. Ajouter les noix de Saint-Jacques dans la poêle et cuire 5 minutes, en remuant de temps en temps, jusqu'à ce qu'elles soient opaques. Le secret consiste à ne pas les cuire trop longtemps, faute de quoi elles durciraient et deviendraient caoutchouteuses.

À l'aide d'une écumoire, retirer les noix de Saint-Jacques de la poêle et les transférer dans un plat chaud. Verser la sauce au safran dans la poêle, porter à ébullition et laisser bouillir jusqu'à ce qu'elle réduise de moitié. Réduire le feu et ajouter la crème fraîche progressivement. Laisser mijoter jusqu'à ce que la sauce épaississe. Remettre les noix de Saint-Jacques dans la poêle et réchauffer 1 à 2 minutes. Ajouter un filet de citron et saler et poivrer. Garnir les noix de Saint-Jacques de persil et servir chaud. Présenter le plat avec des tranches de pain frais pour saucer.

On trouve les noix de Saint-Jacques fraîches ou surgelées, dans les supermarchés ou chez les poissonniers. Si vous les achetez chez votre poissonnier, demandez-lui de vous fournir quelques coquilles vides pour servir votre plat plus joliment. Nettoyez-les bien.

GAMBAS AU CITRON VERT

POUR 6 PERSONNES
dans un repas composé de tapas

4 citrons verts

12 gambas, non décortiquées

3 cuil. à soupe d'huile d'olive espagnole

2 gousses d'ail, finement hachées

un filet de xérès sec

sel et poivre

4 cuil. à soupe de persil plat frais haché

Zester et presser le jus de 2 citrons verts. Couper les 2 citrons restants en quartiers et réserver.

Pour les gambas, retirer les pattes en conservant la carapace et la queue intactes. À l'aide d'un couteau tranchant, pratiquer une entaille profonde le long du dos des gambas, retirer et jeter la veine noire. Rincer les gambas à l'eau courante et les sécher soigneusement sur du papier absorbant.

Chauffer l'huile d'olive dans une grande poêle à fond épais, ajouter l'ail et faire revenir 30 secondes. Ajouter les gambas et faire revenir 5 minutes, en remuant de temps en temps, jusqu'à ce qu'elles commencent à rosir et à s'incurver. Ajouter le zeste et le jus de citron et un filet de xérès, et bien mélanger.

Transférer la préparation dans un plat de service, saler et poivrer, et parsemer de persil. Servir chaud et accompagner des quartiers de citron restants.

VOUS POUVEZ PRÉPARER CE PLAT AVEC DES GAMBAS FRAÎCHES OU SURGELÉES. VEILLEZ À BIEN LES SÉCHER SUR DU PAPIER ABSORBANT ET, LORSQU'ELLES SONT CUITES, LAISSEZ-LES SEULEMENT 1 À 2 MINUTES, JUSTE LE TEMPS DE LES RÉCHAUFFER.

MOULES FARCIES AU BEURRE D'AIL

POUR 8 PERSONNES
dans un repas composé de tapas

800 g de moules fraîches, avec leurs coquilles

un filet de vin blanc sec

1 feuille de laurier

85 g de beurre

35 g de chapelure

4 cuil. à soupe de persil plat frais haché, quelques brins en garniture

2 cuil. à soupe de ciboulette fraîche ciselée

2 gousses d'ail, finement hachées

sel et poivre

quartiers de citron, en accompagnement

Nettoyer les moules en les brossant ou en les grattant et retirer toutes les barbes sortant des coquilles. Jeter tous les coquillages cassés, de même que ceux qui ne se ferment pas lorsqu'on les manipule. Mettre les moules dans une passoire et les rincer soigneusement sous l'eau courante froide. Préchauffer le four à 230 °C (th. 7-8).

Mettre les moules dans une grande casserole et ajouter un filet de vin blanc et la feuille de laurier. Cuire à couvert et à feu vif 5 minutes, en secouant la casserole de temps en temps, jusqu'à ce que les moules soient ouvertes. Égoutter les moules et jeter toutes celles qui sont restées fermées.

Retirer une des coquilles de chaque moule. Disposer les moules dans leur demi-coquille dans un grand plat allant au four peu profond.

Faire fondre le beurre et le verser dans une petite terrine. Ajouter la chapelure, le persil et la ciboulette, saler et poivrer, et bien mélanger. Laisser reposer jusqu'à ce que le beurre se solidifie. Avec les doigts ou 2 cuillères à café, prendre un peu de beurre aux herbes et farcir chaque moule en tassant bien. Réfrigérer les moules jusqu'au moment de servir.

Réchauffer les moules 10 minutes au four. Garnir de brins de persil et servir immédiatement accompagné de quartiers de citron.

ÉTANT DONNÉ LA FAIBLE ÉTENDUE DES PÂTURAGES DANS LA PLUS GRANDE PARTIE DE L'ESPAGNE, LES PRODUITS LAITIERS NE SONT PAS FABRIQUÉS EN GRANDE QUANTITÉ, C'EST POURQUOI L'HUILE EST BEAUCOUP PLUS SOUVENT UTILISÉE QUE LE BEURRE. CEPENDANT, IL ARRIVE QUE LE BEURRE SOIT INTÉGRÉ DANS UNE RECETTE, C'EST LE CAS ICI.

TARTELETTES AU CRABE

POUR 24 TARTELETTES

1 cuil. à soupe d'huile d'olive espagnole

1 petit oignon, haché

1 gousse d'ail, finement hachée

un filet de vin blanc sec

2 œufs

150 ml de lait ou de crème fraîche liquide

175 g de chair de crabe en boîte, égouttée

55 g de Manchego ou de parmesan, râpé

2 cuil. à soupe de persil plat frais haché

une pincée de noix muscade

brins d'aneth frais, en garniture

Pâte

350 g de farine, un peu plus pour fariner

une pincée de sel

175 g de beurre

2 cuil. à soupe d'eau

Ou

500 g de pâte brisée prête à l'emploi

Préchauffer le four à 190 °C (th. 6-7). Pour la garniture au crabe, chauffer l'huile d'olive dans une poêle, ajouter l'oignon et faire revenir 5 minutes, jusqu'à ce qu'il soit tendre sans dorer. Ajouter l'ail et faire revenir encore 30 secondes. Ajouter un filet de vin et cuire encore 1 à 2 minutes, jusqu'à ce que le vin soit presque entièrement évaporé.

Battre légèrement les œufs dans une grande terrine et incorporer le lait ou la crème. Ajouter la chair de crabe, le fromage, le persil et les oignons. Assaisonner avec la noix muscade, saler et poivrer, et bien mélanger.

Pour la pâte, tamiser la farine et le sel dans une grande jatte. Incorporer le beurre coupé en dés et bien pétrir jusqu'à obtention d'une consistance de chapelure. Ajouter petit à petit suffisamment d'eau pour obtenir une pâte ferme. La pâte peut également être préparée dans un robot de cuisine.

Abaisser finement la pâte sur un plan légèrement fariné. Découper 18 ronds de 7 cm de diamètre à l'aide d'un emporte-pièce. Pétrir les chutes ensemble, abaisser de nouveau et découper 6 autres ronds de pâte. Foncer un moule à tartelettes comportant 24 alvéoles de 4 cm de diamètre et les garnir de préparation à base de crabe sans les remplir totalement.

Cuire les tartelettes au four, 25 à 30 minutes, jusqu'à ce que la garniture soit prise et dorée. Garnir les tartelettes de quelques brins d'aneth et servir chaud ou froid.

Il suffit d'arpenter les allées d'un supermarché espagnol pour voir le grand nombre de variétés de poisson en boîte qui sont disponibles. À ce propos, vous pouvez dans cette recette remplacer la chair de crabe par du saumon ou du thon en boîte.

Dans ce chapitre figurent les recettes de quelques-uns des tapas les plus appréciés en Espagne. Aucun assortiment de tapas ne saurait être complet sans la présence d'œufs mimosa, particulièrement dans le Sud, ou sans celle d'une portion d'omelette aux pommes de terre, mets espagnol parmi les plus typiques.

De même, le fromage coupé en dés constitue un ingrédient presque incontournable. L'Espagne produit nombre de fromages, et le plus facile à obtenir hors des frontières du pays est le Manchego, confectionné à partir de lait de brebis. À défaut, utilisez du parmesan fraîchement découpé. En matière de viandes, celle de porc est sans doute la plus appréciée, mais le jambon Serrano et le poulet sont également populaires. Le chorizo est une saucisse sèche parfumée à l'ail et au piment. Il peut être dégusté froid, frit ou cuit en sauce.

TROISIÈME PARTIE

ŒUFS, FROMAGES & VIANDES

Efforcez-vous de servir les tapas à base de viande dans des petits contenants en terre cuite, tels ceux utilisés dans les bars espagnols. Ils seront parfaits pour conserver vos précieux mets à la bonne température. À défaut, utilisez vos ustensiles de service habituels, qui s'acquitteront de cette tâche presque aussi bien.

Les tapas carnés peuvent facilement être servis en tant que plat d'un déjeuner ou d'un dîner légers. Divisez par deux le nombre de convives préconisé dans la recette et servez le mets choisi accompagné d'un pain de campagne qui servira à saucer les jus.

TORTILLA ESPAGNOLE

POUR 8 PERSONNES
dans un repas composé de tapas

450 g de pommes de terre fermes

425 ml d'huile d'olive espagnole

2 oignons, hachés

2 gros œufs

sel et poivre

brins de persil plat frais, en garniture

Éplucher les pommes de terre, couper en petits dés ou en quartiers et sécher à l'aide d'un torchon. Chauffer l'huile dans une poêle antiadhésive. Ajouter les pommes de terre et les oignons, réduire le feu et faire revenir 20 minutes sans cesser de remuer, jusqu'à ce que les pommes de terre soient tendres mais sans laisser dorer et en évitant qu'elles s'agglomèrent. Le secret pour réussir de délicieuses pommes de terre est de les cuire longtemps de sorte qu'elles s'imprègnent de la saveur de l'huile et qu'elles soient cuites sans être dorées ni croustillantes. Elles sont en fait plus bouillies que frites.

Battre légèrement les œufs dans une terrine et saler et poivrer selon son goût.

Égoutter les pommes de terre et les oignons dans une passoire au-dessus d'une terrine et réserver l'huile qui s'en écoule. Incorporer le mélange de pommes de terre et d'oignons aux œufs battus.

Essuyer ou laver la poêle pour éviter que la tortilla n'attache. Chauffer 2 cuillerées à soupe de l'huile réservée dans la poêle. Ajouter le mélange à base d'œufs et de pommes de terre, réduire le feu et cuire 3 à 5 minutes, jusqu'à ce que le dessous soit pris. À l'aide d'une spatule, appuyer sur les pommes de terre de façon à bien les inclure dans l'omelette.

Couvrir la poêle à l'aide d'une assiette, incliner pour retirer l'excédent d'huile et retourner rapidement pour faire glisser la tortilla sur l'assiette. Remettre la poêle sur le feu et ajouter un peu d'huile réservée si nécessaire. Remettre la tortilla dans la poêle, côté cuit vers le haut, et faire revenir 3 à 5 minutes, jusqu'à ce qu'elle soit prise. La tortilla est cuite quand elle est ferme et croustillante en surface mais encore baveuse au centre.

Faire glisser la tortilla sur un plat de service et laisser reposer 15 minutes. Couper en petites parts, en bouchées ou en quartiers, garnir de brins de persil et servir.

VOICI UNE RECETTE TYPIQUEMENT ESPAGNOLE (ÉGALEMENT IDÉALE POUR UN PIQUE-NIQUE) À BASE DE POMMES DE TERRE, D'OIGNONS ET D'ŒUFS. VOUS POUVEZ AJOUTER D'AUTRES INGRÉDIENTS COMME DU JAMBON, DU LARD, DU FROMAGE, DES CHAMPIGNONS, DES POIVRONS ROUGES OU VERTS, DES ASPERGES OU DES CŒURS D'ARTICHAUTS MAIS LES ESPAGNOLS LA PRÉFÈRENT NATURE.

ŒUFS À LA DIABLE

POUR 16 ŒUFS

- 8 gros œufs
- 2 pimientos entiers (poivrons rouges doux) en bocal ou en boîte
- 8 olives vertes
- 5 cuil. à soupe de mayonnaise
- 8 filets de Tabasco
- une grosse pincée de poivre de Cayenne
- sel et poivre
- paprika, pour saupoudrer
- brins d'aneth frais, en garniture

Mettre les œufs dans une casserole, couvrir d'eau froide et porter lentement à ébullition. Réduire le feu, couvrir et laisser mijoter 10 minutes. Égoutter les œufs et refroidir à l'eau courante pour éviter que les jaunes noircissent. Casser délicatement la coquille, laisser refroidir et écaler.

À l'aide d'un couteau tranchant, couper les œufs en deux dans la longueur et retirer les jaunes. Mettre dans une passoire, disposer au-dessus d'une terrine et écraser à l'aide d'une fourchette ou d'une cuillère en bois. Rincer délicatement les blancs d'œufs à l'eau courante si nécessaire.

Égoutter les pimientos sur du papier absorbant, hacher finement et en réserver quelques-uns. Hacher finement les olives. En cas d'utilisation d'une poche à douille, hacher finement le tout. Ajouter les pimientos et les olives hachés aux jaunes d'œufs en réservant 16 gros morceaux de chaque pour la garniture. Ajouter la mayonnaise, bien mélanger et ajouter le Tabasco et le poivre de Cayenne. Saler et poivrer selon son goût.

Mettre le mélange à base d'œufs dans une poche à douille munie d'un embout de 1 cm et farcir les blancs d'œufs, ou farcir à l'aide d'une cuillère à café.

Disposer les œufs à la diable sur un plat de service. Ajouter une lanière de pimientos et un morceau d'olive et saupoudrer d'un peu de paprika et garnir de brins d'aneth.

DANS LES BARS À TAPAS DU SUD DE L'ESPAGNE, UNE SÉLECTION DE TAPAS SERAIT INCOMPLÈTE SANS LES ŒUFS À LA DIABLE ET LA TORTILLA ESPAGNOLE (VOIR PAGE 54). VOUS POUVEZ ÉGALEMENT FARCIR LES ŒUFS DE FILETS D'ANCHOIS EN BOÎTE.

EMPANADILLAS AU FROMAGE & AUX OLIVES

POUR 26 EMPANADILLAS

85 g de fromage ferme ou mou (*voir* note)

85 g d'olives vertes dénoyautées

55 g de tomates séchées dans l'huile, égouttées

50 g de filets d'anchois en boîte, égouttés

poivre

55 g de concentré de tomates séchées au soleil

farine, pour saupoudrer

500 g de pâte feuilletée, décongelée si nécessaire

œuf battu, pour dorer

Préchauffer le four à 200 °C (th. 6-7). Couper le fromage en dés d'environ 5 mm, et couper les olives, les tomates séchées au soleil et les anchois en dés de la même taille que le fromage. Transférer dans une terrine, poivrer selon son goût et mélanger. Incorporer le concentré de tomates.

Sur un plan fariné, abaisser la pâte feuilletée et couper 18 ronds de pâte à l'aide d'un emporte-pièce de 8 cm de diamètre. Abaisser les chutes et découper 8 autres ronds de pâte. À l'aide d'une cuillère à café, garnir chaque rond de la préparation précédente.

Humidifier les bords des ronds, refermer la pâte sur la garniture et souder les bords en pinçant avec les doigts. À l'aide de la pointe d'un couteau, pratiquer des petites incisions sur les bords des empanadillas. À ce stade, réserver au réfrigérateur ou poursuivre la recette.

Disposer les empanadillas sur une plaque de four graissée, dorer à l'œuf battu et cuire au four préchauffé, 10 à 15 minutes, jusqu'à ce qu'ils soient dorés, croustillants et bien levés. Servir chaud, tiède ou froid.

SI VOUS ÉPROUVEZ DES DIFFICULTÉS À VOUS PROCURER DU FROMAGE ESPAGNOL, UTILISEZ DU MANCHEGO, DU CHEDDAR, DU GRUYÈRE, DU GOUDA OU UN FROMAGE DE CHÈVRE FERME. LES VARIANTES PLUS GROSSES DE CES EMPANADILLAS S'APPELLENT LES « EMPANADAS ».

FEUILLETÉS AU FROMAGE & SALSA ÉPICÉE À LA TOMATE

POUR 8 PERSONNES
dans un repas composé de tapas

70 g de farine

50 ml d'huile d'olive espagnole

150 ml d'eau

2 œufs, battus

55 g de Manchego, de parmesan, de cheddar, de Gouda ou de Gruyère, finement râpé

$^1/_2$ cuil. à café de paprika

sel et poivre

huile de tournesol, pour la friture

Salsa épicée à la tomate

2 cuil. à soupe d'huile d'olive espagnole

1 petit oignon, finement haché

1 gousse d'ail, hachée

1 filet de vin blanc sec

400 g de tomates concassées en boîte

1 cuil. à soupe de concentré de tomates

$^1/_2$ à $^1/_4$ cuil. à café de flocons de piments rouges

1 filet de Tabasco

1 pincée de sucre

Pour la salsa, chauffer l'huile d'olive dans une poêle, ajouter l'oignon et faire revenir 5 minutes, jusqu'à ce qu'il soit tendre sans être doré. Ajouter l'ail et faire revenir encore 30 secondes. Mouiller avec le vin, porter à ébullition et ajouter les ingrédients restants. Laisser mijoter à découvert, 10 à 15 minutes, jusqu'à ce que la sauce épaississe. Transférer dans un bol de service et réserver.

Pour les feuilletés au fromage, tamiser la farine dans une assiette ou sur du papier sulfurisé. Mettre l'huile d'olive et l'eau dans une poêle, porter à ébullition et retirer immédiatement du feu. Ajouter la farine et battre à l'aide d'une cuillère en bois jusqu'à obtention d'une consistance homogène. Laisser refroidir 1 à 2 minutes, ajouter les œufs progressivement et battre vigoureusement après chaque ajout. Ajouter le fromage et le paprika, saler et poivrer selon son goût et mélanger. Réserver la pâte au réfrigérateur ou poursuivre la recette.

Chauffer l'huile de tournesol à 180-190 °C, un dé de pain doit y dorer en 30 secondes. Verser des cuillerées de pâte dans l'huile, faire frire 2 à 3 minutes en retournant une fois, jusqu'à ce que les beignets soient dorés et croustillants, et qu'ils remontent à la surface. Égoutter sur du papier absorbant. Servir chaud, accompagné de salsa pour tremper et de piques à cocktail pour manipuler les beignets.

CES PETITS FEUILLETÉS AU FROMAGE SONT DÉLICIEUX ET TRÈS LÉGERS. ILS SONT ICI SERVIS AVEC UNE SALSA MAIS PEUVENT ÊTRE SIMPLEMENT ACCOMPAGNÉS DE CONCOMBRES MARINÉS. DANS CE CAS, SERVEZ AVEC DES PIQUES À COCKTAIL POUR POUVOIR DÉGUSTER LES FEUILLETÉS ET LES CONCOMBRES EN MÊME TEMPS.

EMPANADILLAS AU CHORIZO

POUR 12 EMPANADILLAS

125 g de chorizo, sans la peau

farine, pour saupoudrer

250 g de pâte feuilletée prête à l'emploi, décongelée si nécessaire

œuf battu, pour dorer

paprika, pour saupoudrer

Préchauffer le four à 200 °C (th. 6-7) et couper le chorizo en dés de 1 cm.

Sur un plan légèrement fariné, abaisser la pâte feuilletée et découper des ronds de 8 cm de diamètre à l'aide d'un emporte-pièce, en abaissant les chutes pour obtenir 12 ronds au total. Garnir chaque rond de dés de chorizo.

Humidifier les bords des ronds, refermer la pâte sur la garniture et souder les bords en pinçant avec les doigts. À l'aide d'une fourchette, denteler les bords des empanadillas pour une finition plus esthétique. À ce stade, réserver au réfrigérateur ou poursuivre la recette.

Disposer les empanadillas sur une plaque de four graissée, dorer à l'œuf battu et cuire au four préchauffé, 10 à 15 minutes, jusqu'à ce qu'ils soient dorés, croustillants et bien levés. Saupoudrer les empanadillas d'un peu de paprika et servir chaud ou tiède.

Un repas de tapas ne serait pas digne de ce nom sans un peu de chorizo ! Cette recette de petits feuilletés au chorizo accompagnera à merveille un verre de vin blanc bien frais. Les empanadillas sont particulièrement simples à préparer et les enfants se feront un plaisir de vous aider. Mais veillez à ce qu'ils ne mangent pas tout le chorizo avant que les feuilletés soient au four !

BOULETTES DE VIANDE À LA SAUCE AUX AMANDES

POUR 8 PERSONNES
dans un repas composé de tapas

- 55 g de pain blanc ou complet, sans la croûte
- 3 cuil. à soupe d'eau
- 450 g de porc maigre frais haché (*voir* note)
- 1 gros oignon, finement haché
- 1 gousse d'ail, hachée
- 2 cuil. à soupe de persil plat frais haché, un peu plus en garniture
- 1 œuf, battu
- noix mucsade, fraîchement râpée
- sel et poivre
- farine, pour enrober
- 2 cuil. à soupe d'huile d'olive espagnole
- 1 filet de jus de citron
- pain frais, en accompagnement

Sauce aux amandes

- 2 cuil. à soupe d'huile d'olive espagnole
- 25 g de pain blanc ou complet
- 115 g d'amandes blanchies
- 2 gousses d'ail, hachées
- 150 ml de vin blanc sec
- sel et poivre
- 425 ml de bouillon de légumes

Pour les boulettes, mettre le pain dans une terrine avec l'eau et laisser tremper 5 minutes. Avec les mains, presser le pain pour exprimer l'eau et remettre dans la terrine sèche.

Ajouter le porc, l'oignon, l'ail, le persil et l'œuf, saupoudrer de muscade et saler et poivrer légèrement. Pétrir le tout jusqu'à obtention d'un mélange lisse.

Mettre un peu de farine sur une assiette. Les mains farinées, façonner 30 boulettes avec la préparation à base de viande et passer dans la farine de sorte qu'elles soient bien enrobées.

Chauffer l'huile d'olive dans une poêle et cuire les boulettes en plusieurs fois, 4 à 5 minutes, jusqu'à ce qu'elles soient dorées de toutes parts. Retirer de la poêle à l'aide d'une écumoire et réserver.

Pour la sauce aux amandes, chauffer l'huile dans la poêle utilisée pour cuire les boulettes de viande. Casser le pain en morceaux, mettre dans la poêle avec les amandes et faire revenir à feu doux en remuant fréquemment, jusqu'à ce que les amandes soient dorées. Ajouter l'ail et faire revenir encore 30 secondes. Mouiller avec le vin et laisser bouillir 1 à 2 minutes. Saler et poivrer selon son goût, et laisser refroidir.

Transférer le mélange aux amandes dans un robot de cuisine, verser le bouillon de légumes et mixer jusqu'à obtention d'un mélange lisse. Mettre la sauce obtenue dans la poêle, ajouter les boulettes de viande dans la sauce et laisser frémir 25 minutes, jusqu'à ce que les boulettes soient tendres. Saler et poivrer de nouveau si nécessaire.

Transférer les boulettes de viande avec la sauce aux amandes dans un plat de service chaud, ajouter un filet de jus de citron et parsemer de persil haché. Servir chaud, accompagné de morceaux ou de tranches de pain pour saucer.

LE PORC HACHÉ OU UN MÉLANGE DE PORC ET DE VEAU SONT LES VIANDES LES PLUS UTILISÉES EN ESPAGNE POUR PRÉPARER CES BOULETTES DE VIANDE, MAIS VOUS POUVEZ ESSAYER AVEC DE L'AGNEAU OU DU BŒUF HACHÉS SI VOUS PRÉFÉREZ.

MINI-BROCHETTES DE PORC

POUR 12 BROCHETTES

450 g de porc maigre désossé (*voir* note)

3 cuil. à soupe d'huile d'olive espagnole, un peu plus pour huiler (facultatif)

zeste râpé et jus d'un gros citron

2 gousses d'ail, hachées

2 cuil. à soupe de persil plat frais haché, un peu plus en garniture

1 cuil. à soupe de ras-el-hanout (*voir* note)

sel et poivre

Les brochettes de porc doivent mariner toute une nuit. Prévoir de préparer cette recette à l'avance. Couper le porc en morceaux de 2 cm et disposer en une seule couche dans un plat non métallique allant au four.

Pour la marinade, mettre les ingrédients restants dans une terrine et mélanger. Verser la marinade sur le porc et retourner de sorte que la viande soit bien enrobée. Couvrir le plat et laisser mariner une nuit en retournant 2 ou 3 fois.

Utiliser 12 brochettes métalliques ou en bois de 15 cm. En cas d'utilisation de brochettes en bois, les faire préalablement tremper dans l'eau froide 30 minutes pour éviter qu'elles brûlent à la cuisson et que la viande accroche. Graisser les brochettes métalliques et préférer les plates aux rondes pour une meilleure tenue de la viande.

Préchauffer un gril ou un barbecue. Piquer trois morceaux de porc sur chaque brochette en laissant un petit espace entre les morceaux de viande. Cuire les brochettes 10 à 15 minutes, jusqu'à ce qu'elles soient tendres et légèrement grillées, en les retournant plusieurs fois et en badigeonnant de marinade restante. Garnir de persil et servir les brochettes chaudes.

Traditionnellement préparées avec du porc en Espagne, ces brochettes sont d'origine arabe et peuvent être réalisées avec de l'agneau ou un mélange des deux. Le ras-el-hanout est un mélange d'épices contenant galanga, gingembre, bouton de rose, grains de poivre noir, cardamome, nigelle, épices de Cayenne, lavande, poivre de la Jamaïque, cannelle, coriandre, muscade et clou de girofle ! Vous le trouverez dans les épiceries ou en grande surface.

POULET AU CITRON & À L'AIL

POUR 6 à 8 PERSONNES
dans un repas composé de tapas

4 gros blancs de poulet, sans la peau

5 cuil. à soupe d'huile d'olive espagnole

1 oignon, finement haché

6 gousses d'ail, finement hachées

zeste râpé d'un citron, lanières de zeste d'un autre citron, et jus des deux citrons

4 cuil. à soupe de persil plat frais haché, un peu plus en garniture

sel et poivre

quartiers de citron et pain frais, en accompagnement

IL EXISTE PLUSIEURS VARIANTES DE CETTE RECETTE TRÈS POPULAIRE, FACILE ET RAPIDE À PRÉPARER. ESSAYEZ PAR EXEMPLE AVEC DES AILES DE POULET OU REMPLACEZ LE POULET PAR DU LAPIN, DE LA DINDE OU DU PORC.

À l'aide d'un couteau tranchant, couper les blancs de poulet en fines lanières. Chauffer l'huile dans une sauteuse, ajouter l'oignon et faire revenir 5 minutes, jusqu'à ce qu'il soit tendre mais pas doré. Ajouter l'ail et faire revenir encore 30 secondes.

Ajouter le poulet et faire revenir 5 à 10 minutes en remuant de temps en temps, jusqu'à ce que les ingrédients soient dorés et le poulet tendre.

Ajouter le zeste et le jus des citrons, et laisser bouillir. À l'aide d'une écumoire, gratter les parois de la sauteuse pour détacher les sucs et mélanger avec le jus. Retirer la sauteuse du feu, incorporer le persil et saler et poivrer selon son goût.

Transférer le poulet au citron et à l'ail dans un plat de service chaud. Parsemer de lanières de zeste de citron, garnir de persil et servir avec des quartiers de citron. Accompagner de morceaux ou de tranches de pain pour saucer.

CROQUETTES AU POULET & AU JAMBON

POUR 8 PERSONNES

- 4 cuil. à soupe d'huile d'olive espagnole ou 55 g de beurre
- 4 cuil. à soupe de farine
- 200 ml de lait
- 115 g de poulet cuit, haché
- 55 g de jambon Serrano ou de jambon cuit, finement hachés
- 1 cuil. à soupe de persil plat frais haché, un peu plus en garniture
- 1 petite pincée de noix muscade finement râpée
- sel et poivre
- 1 œuf, battu
- 55 g de chapelure blanche
- huile de tournesol, pour la friture
- aïoli (*voir* page 92), en accompagnement

Chauffer l'huile ou le beurre dans une casserole, incorporer la farine de façon à obtenir une pâte et cuire à feu doux 1 minute, en remuant de temps en temps.

Retirer la casserole du feu, ajouter le poulet haché et battre jusqu'à obtention d'un mélange lisse. Ajouter le jambon, le persil et la muscade, et bien mélanger. Saler et poivrer selon son goût. Transférer le mélange obtenu dans un plat allant au four et laisser refroidir 30 minutes. Couvrir et mettre au réfrigérateur 2 à 3 heures de sorte que les croquettes gardent leur forme à la cuisson.

Mettre les œufs battus et la chapelure sur deux assiettes. Diviser la préparation au poulet en 8 portions. Les mains légèrement humides, façonner chaque portion en cylindre. Passer les cylindres dans les œufs battus et dans la chapelure de sorte qu'ils soient bien enrobés. Disposer sur une assiette et mettre au réfrigérateur 1 heure.

Chauffer l'huile dans une poêle à 180-190 °C, un dé de pain doit y dorer en 30 secondes. Cuire les croquettes 5 à 10 minutes, en plusieurs fois pour éviter que la température de l'huile baisse, jusqu'à ce qu'elles soient dorées et croustillantes. Retirer de la poêle à l'aide d'une écumoire et égoutter sur du papier absorbant.

Garnir de brins de persil et servir les croquettes chaudes avec un bol d'aïoli pour saucer.

Ces croquettes sont très populaires en Espagne et donnent naissance à nombre de variantes, comme les croquettes au poisson et aux câpres (voir page 34). Vous pourrez en réaliser de toutes les formes, ronde, ovale, plate ou cylindrique, comme dans cette recette.

FOIES DE POULET AU XÉRÈS

POUR 6 PERSONNES
dans un repas composé de tapas

450 g de foies de poulet

2 cuil. à soupe d'huile d'olive espagnole

1 petit oignon, finement haché

2 gousses d'ail, finement hachées

100 ml de xérès espagnol sec

sel et poivre

2 cuil. à soupe de persil plat frais haché

pain frais ou toasts, en accompagnement

Parer les foies de poulet si nécessaire et couper en petits morceaux.

Chauffer l'huile d'olive dans une poêle, ajouter l'oignon et faire revenir 5 minutes, jusqu'à ce qu'il soit tendre sans avoir doré. Ajouter l'ail et faire revenir encore 30 secondes.

Ajouter les foies de poulet au contenu de la poêle et faire revenir 2 à 3 minutes sans cesser de remuer, jusqu'à ce qu'ils soient fermes, qu'ils aient changé de couleur à l'extérieur mais restent rose au centre. À l'aide d'une écumoire, transférer les foies dans un plat de service chaud ou répartir dans plusieurs petits plats et réserver au chaud.

Ajouter le xérès au contenu de la poêle, augmenter le feu et laisser bouillir 3 à 4 minutes, jusqu'à ce que l'alcool s'évapore. Réduire le feu et gratter le fond de la poêle à l'aide d'une écumoire pour détacher les sucs. Saler et poivrer la sauce selon son goût.

Verser la sauce au xérès sur les foies de poulet et parsemer de persil. Servir chaud accompagné de pain frais ou de toasts pour saucer.

CETTE RECETTE EST SOUVENT SERVIE DANS LES BARS À TAPAS D'ANDALOUSIE ET EST ÉGALEMENT PRÉPARÉE AVEC DES FOIES D'AGNEAU OU DE VEAU. VOUS POUVEZ AJOUTER DES CHAMPIGNONS COUPÉS EN DEUX OU EN QUATRE ET/OU UNE CUILLERÉE À SOUPE DE CÂPRES ÉGOUTTÉES OU D'OLIVES HACHÉES.

QUATRIÈME PARTIE
LÉGUMES EN FÊTE

En Espagne, les légumes sont traités avec égard, c'est pourquoi il est naturel qu'une grande variété d'entre eux entrent dans la confection des tapas. Les Espagnols servent les tapas de légumes en fonction de la saison. Il est bon de se conformer à cette pratique pleine de bon sens, qui dicte par exemple de proposer les asperges rôties au jambon Serrano uniquement lorsque vient le printemps. Les petits poivrons verts méritent d'être mentionnés ici, même s'ils ne font pas l'objet d'une recette. Ils sont fendus à la base, frottés de sel à l'intérieur puis frits lentement dans l'huile d'olive jusqu'à ce qu'ils soient bien tendres. On les déguste ensuite entiers, pépins ôtés, en saisissant la queue. Ne négligez pas non plus la salade russe, servie dans tous les bars à tapas espagnols, et dont la fine saveur n'a rien de commun avec celle des préparations en boîte de même nom. De fait, une telle salade peut parfaitement être servie au cours d'un repas traditionnel.

Diverses recettes de tapas à base de pommes de terre, très appréciées dans toute l'Espagne, sont présentées dans ce chapitre, dont celle des savoureuses pommes de terre nouvelles à l'aïoli. Mayonnaise aillée, l'aïoli est souvent utilisé dans la confection de tapas, surtout en Catalogne, et rare sont, dans cette province, les assortiments où il ne figure pas.

FÈVES AU JAMBON SERRANO

POUR 6 À 8 PERSONNES
dans un repas composé de tapas

55 g de jambon Serrano, de pancetta ou de lard fumé

115 g de chorizo, pelé

4 cuil. à soupe d'huile d'olive espagnole

1 oignon, finement émincé

2 gousses d'ail, hachées

1 trait de vin blanc

450 g de fèves surgelées, décongelées, ou 450 g de fèves fraîches

1 cuil. à soupe de menthe ou d'aneth frais hachés, un peu plus en garniture

1 pincée de sucre

sel et poivre

À l'aide d'un couteau tranchant, couper le jambon, la pancetta ou le lard en lanières et le chorizo en dés de 2 cm. Chauffer l'huile dans une grande poêle à fond épais ou dans un faitout, ajouter l'oignon et faire revenir 5 minutes, jusqu'à ce qu'il soit tendre et commence à brunir. En cas d'utilisation de pancetta ou de lard, ajouter directement avec l'oignon. Ajouter l'ail et faire revenir encore 30 secondes.

Mouiller avec le vin, augmenter le feu et porter à ébullition, jusqu'à ce que la préparation réduise. Réduire le feu, ajouter les fèves et éventuellement le jambon et le chorizo, et faire revenir 1 à 2 minutes sans cesser de remuer.

Couvrir et laisser les fèves mijoter à feu très doux 10 à 15 minutes dans l'huile en remuant de temps en temps, jusqu'à ce qu'elles soient tendres et en mouillant avec un peu d'eau si la préparation devient trop sèche. Incorporer la menthe ou l'aneth et le sucre. Saler et poivrer si nécessaire.

Transférer la préparation dans un grand plat de service chaud ou directement dans des assiettes préchauffées et servir très chaud, garni de menthe ou d'aneth hachés.

LES FÈVES, AUSSI BIEN FRAÎCHES QUE SURGELÉES, SONT TRÈS APPRÉCIÉES EN ESPAGNE. DANS CETTE RECETTE, VOUS POUVEZ UTILISER INDIFFÉREMMENT DES FÈVES FRAÎCHES OU SURGELÉES, EN CHOISISSANT TOUJOURS LA QUALITÉ LA PLUS TENDRE. VOUS POUVEZ AUSSI RETIRER LA PEAU DES FÈVES DE FAÇON À RÉVÉLER LEUR VERT BRILLANT ET CRÉMEUX, MAIS CETTE OPÉRATION PREND BEAUCOUP DE TEMPS !

PIMIENTOS DEL PIQUILLO FARCIS

POUR 7 À 8 PIMENTS FARCIS

185 g de pimientos del piquillo en boîte (piments rouges doux, grillés)

sel et poivre

brins de fines herbes, en garniture

Garniture aux fines herbes et au fromage frais

225 g de fromage frais

1 cuil. à café de jus de citron

1 gousse d'ail, hachée

4 cuil. à soupe de persil plat haché

1 cuil. à soupe de menthe fraîche hachée

1 cuil. à soupe d'origan frais haché

OU

Garniture à la mayonnaise et au thon

200 g de thon à l'huile d'olive en boîte, égoutté

5 cuil. à soupe de mayonnaise

2 cuil. à café de jus de citron

2 cuil. à soupe de persil plat frais haché

OU

Garniture au fromage de chèvre et aux olives

50 g d'olives noires dénoyautées, hachées

200 g de fromage de chèvre

1 gousse d'ail, hachée

Cette recette propose différentes garnitures, à choisir selon son goût. Prendre soin de réserver l'huile de la boîte des piments.

Pour la garniture au fromage frais et aux fines herbes, mettre le fromage frais dans une terrine et ajouter le jus de citron, l'ail, le persil, la menthe et l'origan. Mélanger et saler et poivrer selon son goût.

Pour la garniture au thon et à la mayonnaise, mettre le thon dans une terrine et mélanger avec la mayonnaise, le jus de citron et le persil. Ajouter 1 cuillerée à soupe de l'huile des piments et bien mélanger. Saler et poivrer selon son goût.

Pour la garniture au fromage de chèvre et aux olives, mettre les olives dans une terrine, ajouter le fromage de chèvre, l'ail et 1 cuillerée à soupe de l'huile des piments, et bien mélanger. Saler et poivrer selon son goût.

À l'aide d'une cuillère à café, farcir chaque piment de la garniture de son choix et mettre 2 heures au réfrigérateur, jusqu'à ce que le tout soit bien ferme.

Pour servir les pimientos del piquillo farcis, disposer sur un plat de service en essuyant éventuellement la farce ayant débordé à l'aide de papier absorbant et garnir de fines herbes.

ASSUREZ-VOUS DE BIEN ACHETER DES PIMENTS ENTIERS ET NON COUPÉS EN TRANCHES. SI VOUS NE TROUVEZ PAS DE PIMIENTOS DEL PIQUILLO, REMPLACEZ-LES PAR DES PIMENTS D'ESPELETTE.

HARICOTS VERTS AUX PIGNONS

POUR 8 PERSONNES
dans un repas composé de tapas

- 2 cuil. à soupe d'huile d'olive
- 50 g de pignons
- 1/2 à 1 cuil. à café de paprika
- 450 g de haricots verts
- 1 petit oignon, finement haché
- 1 gousse d'ail, finement hachée
- sel et poivre
- jus d'un-demi citron

Faire chauffer l'huile dans une grande poêle à fond épais, ajouter les pignons et faire revenir 1 minute sans cesser de remuer, en secouant la poêle de temps en temps, jusqu'à ce qu'ils soient légèrement dorés. À l'aide d'une écumoire, retirer les pignons de la poêle, égoutter sur du papier absorbant et transférer dans une terrine. Réserver l'huile dans la poêle. Ajouter le paprika aux pignons selon son goût, bien remuer et réserver.

Parer les haricots verts en retirant les fils, mettre dans une casserole et couvrir d'eau bouillante. Porter de nouveau à ébullition et cuire encore 5 minutes, jusqu'à ce que les haricots verts soient tendres mais toujours légèrement croquants. Égoutter dans une passoire.

Réchauffer l'huile réservée dans la poêle, ajouter l'oignon et faire revenir 5 à 10 minutes, jusqu'à ce qu'il soit tendre et commence à brunir. Ajouter l'ail et cuire encore 30 secondes.

Vous pouvez remplacer les pignons par des amandes effilées grillées. Cette variante est tout aussi délicieuse, choisissez donc en fonction de vos goûts.

Ajouter les haricots verts et cuire encore 2 à 3 minutes, en mélangeant bien jusqu'à ce que le tout soit chaud. Saler et poivrer selon son goût.

Transférer dans un grand plat de service chaud, arroser de jus de citron et mélanger. Parsemer de pignons et servir chaud.

SALADE DE POIVRONS GRILLÉS

POUR 8 PERSONNES
dans un repas composé de tapas

- 3 poivrons rouges
- 3 poivrons jaunes
- 5 cuil. à soupe d'huile d'olive vierge extra espagnole
- 2 cuil. à soupe de vinaigre de xérès ou de jus de citron
- 2 gousses d'ail, hachées
- 1 pincée de sucre
- sel et poivre
- 1 cuil. à soupe de câpres
- 8 petites olives noires espagnoles
- 2 cuil. à soupe de marjolaine hachée, un peu plus en garniture

Préchauffer le gril. Disposer les poivrons sur une grille de four et passer au gril chaud 10 minutes, jusqu'à ce que la peau des poivrons soit noire et qu'elle se décolle de la chair.

Retirer les poivrons du gril, transférer dans une terrine et couvrir d'un torchon.

Il est également possible de mettre les poivrons dans un sac en plastique de sorte que la vapeur permette de retirer la peau plus aisément. Laisser reposer environ 15 minutes, jusqu'à ce qu'ils soient assez froids pour être manipulés.

En procédant au-dessus d'une terrine pour réserver le jus, percer la base d'un poivron à l'aide d'un couteau tranchant, presser délicatement et retirer la peau avec les doigts ou à l'aide d'un couteau. Couper en deux, évider et épépiner le poivron. Couper en lanières et disposer sur un plat de service. Répéter l'opération avec les poivrons restants.

Ajouter l'huile d'olive, le vinaigre de xérès, l'ail et le sucre au jus des poivrons réservé, saler et poivrer selon son goût et mélanger. Napper les lanières de poivron.

Parsemer de câpres, d'olives et de marjolaine hachée, garnir d'un brin de marjolaine et servir à température ambiante.

Les poivrons sont plus souvent utilisés grillés que cuits au four. Vous pouvez également les faire griller au-dessus d'un feu de votre gazinière ou au barbecue. Les poivrons rouges et jaunes peuvent également être remplacés par des poivrons verts. Un mélange de couleurs est toutefois plus appétissant.

MINI-PIZZAS ESPAGNOLES AUX ÉPINARDS & AUX TOMATES

POUR 32 MINI-PIZZAS

2 cuil. à soupe d'huile d'olive espagnole, un peu plus pour graisser et napper

1 oignon, finement haché

1 gousse d'ail, finement hachée

400 g de tomates concassées en boîte

125 g d'épinards

sel et poivre

25 g de pignons

Pâte à pizza

100 ml d'eau chaude

1/2 cuil. à café de levure de boulanger déshydratée

1 pincée de sucre

200 g de farine, un peu plus pour saupoudrer

1/2 cuil. à café de sel

Pour la pâte à pizza, mettre l'eau dans une terrine, ajouter la levure et le sucre et laisser reposer 10 à 15 minutes près d'une source de chaleur, jusqu'à ce que la préparation soit mousseuse.

Tamiser la farine et le sel dans une terrine, ménager un puits au centre et verser la préparation précédente. Mélanger à l'aide d'une cuillère en bois et travailler avec les mains, jusqu'à obtention d'une pâte homogène.

Sur un plan fariné, pétrir la pâte 10 minutes, jusqu'à ce qu'elle soit élastique et qu'elle ne colle pas. Façonner une boule, mettre dans une terrine propre et couvrir d'un torchon. Laisser lever près d'une source de chaleur 1 heure, jusqu'à ce que la pâte ait doublé de volume.

Pour la garniture, chauffer l'huile dans une grande poêle à fond épais, ajouter l'oignon et faire revenir 5 minutes, jusqu'à ce qu'il soit tendre sans être doré. Ajouter l'ail et faire revenir encore 30 secondes. Incorporer les tomates concassées et laisser mijoter 5 minutes, jusqu'à ce que la préparation épaississe et réduise légèrement. Ajouter les épinards et cuire sans cesser de remuer jusqu'à ce qu'ils flétrissent. Saler et poivrer selon son goût.

Préchauffer le four à 200 °C (th. 6-7). Enduire plusieurs plaques de four d'huile d'olive. Sur un plan fariné, malaxer la pâte 2 à 3 minutes pour retirer les bulles d'air, et abaisser finement en un rond de 6 cm d'épaisseur. À l'aide d'un emporte-pièce, découper 32 petits ronds de pâte et répartir sur les plaques de four.

Napper chaque rond de pâte de préparation à base d'épinards et de tomates, parsemer de pignons et arroser d'un peu d'huile d'olive. Cuire au four préchauffé 10 à 15 minutes, jusqu'à ce que les bords soient légèrement dorés. Servir les mini-pizzas chaudes.

ON ASSOCIE SOUVENT LES PIZZAS À L'ITALIE MAIS CES PETITS CANAPÉS SONT TRÈS POPULAIRES EN ESPAGNE, OÙ ILS SONT NOMMÉS « COCA ». CES MINI-PIZZAS ÉTAIENT TRADITIONNELLEMENT CONFECTIONNÉES À BASE DE FARINE ET D'EAU MAIS ON EMPLOIE DÉSORMAIS UNE PÂTE À PIZZA OU À TARTE. LES GARNITURES PEUVENT ÉGALEMENT VARIER ET COMPORTER DES ANCHOIS, DES POIVRONS, DU JAMBON, DU CHORIZO ET DES OLIVES, PLUS RAREMENT DU FROMAGE.

BEIGNETS DE COURGETTES

POUR 8 PERSONNES
dans un repas composé de tapas

450 g de petites courgettes

3 cuil. à soupe de farine

1 cuil. à soupe de paprika

1 œuf

2 cuil. à soupe de lait

huile de tournesol, pour la friture

gros sel

sauce, pour tremper (aïoli, page 92 ; sauce tomate, page 61 ; sauce aux pignons, ci-dessous)

Sauce aux pignons

100 g de pignons

1 gousse d'ail, pelée

3 cuil. à soupe d'huile d'olive vierge extra espagnole

1 cuil. à soupe de jus de citron

3 cuil. à soupe d'eau

1 cuil. à soupe de persil plat frais haché

sel et poivre

Préparer éventuellement la sauce aux pignons. Mettre les pignons et l'ail dans un robot de cuisine et réduire en purée. Moteur en marche, ajouter progressivement l'huile d'olive, le jus de citron et l'eau jusqu'à obtention d'une consistance homogène. Ajouter le persil et saler et poivrer selon son goût. Transférer dans un bol de service.

Pour les courgettes, les couper en biais, en tranches de 5 mm d'épaisseur. Mettre la farine et le paprika dans un sac en plastique et mélanger. Battre l'œuf et le lait dans une terrine.

Mettre les courgettes dans le sac en plastique, bien enrober les rondelles et secouer pour retirer l'excédent de farine. Chauffer l'huile dans une sauteuse à fond épais, plonger les rondelles de courgette dans la préparation à base d'œuf et mettre dans la sauteuse. Faire frire en plusieurs fois 2 minutes, jusqu'à ce que les beignets soient croustillants et dorés.

À l'aide d'une écumoire, retirer les beignets de la sauteuse et égoutter sur du papier absorbant.

Servir chaud, légèrement salé et accompagné d'une sauce de son choix.

CETTE RECETTE PEUT S'APPLIQUER AUX AUBERGINES, DE MÊME QUE LA SAUCE À BASE DE PIGNONS PEUT ÊTRE RÉALISÉE AVEC DES AMANDES, SI VOUS PRÉFÉREZ.

ASPERGES RÔTIES AU JAMBON SERRANO

POUR 12 ASPERGES

2 cuil. à soupe d'huile d'olive espagnole

6 tranches de jambon Serrano

12 asperges

poivre

aïoli (*voir* page 92), en accompagnement

Le jambon espagnol le plus célèbre est le Serrano, qui est fabriqué dans les montagnes. On peut le laisser vieillir quelques mois comme quelques années. Vous pouvez le remplacer par du jambon de Parme ou du prosciutto.

Préchauffer le four à 200 °C (th. 6-7). Mettre la moitié de l'huile d'olive dans un plat allant au four et bien répartir. Couper chaque tranche de jambon en deux dans la longueur.

Couper le bout des asperges, enrouler une tranche de jambon autour et disposer dans le plat allant au four huilé. Napper de l'huile d'olive restante et poivrer.

Cuire les asperges au four préchauffé 10 minutes, selon l'épaisseur des asperges, jusqu'à ce qu'elles soient tendres mais toujours légèrement croquantes. Il est important que les asperges ne soient pas trop cuites de façon à ce qu'elles puissent être dégustées avec les doigts.

Servir chaud, accompagné d'aïoli.

SALADE RUSSE

POUR 8 PERSONNES
dans un repas composé de tapas

2 œufs

450 g de pommes de terre nouvelles, coupées en quartiers

115 g de haricots verts, coupés en morceaux de 2,5 cm de long

115 g de petits pois surgelés

115 g de carottes

200 g de thon à l'huile d'olive en boîte, égoutté

2 cuil. à soupe de jus de citron

8 cuil. à soupe de mayonnaise

1 gousse d'ail, hachée

sel et poivre

4 petits cornichons, coupés en rondelles

8 olives dénoyautées, coupées en deux

1 cuil. à soupe de câpres

1 cuil. à soupe de persil plat frais haché

1 cuil. à soupe d'aneth haché, plus quelques brins en garniture

Mettre les œufs dans une casserole, couvrir d'eau froide et porter à ébullition. Réduire le feu, couvrir et cuire encore 10 minutes. Égoutter et refroidir à l'eau courante, de façon à éviter qu'un un cercle noir ne se forme autour du jaune d'œuf. Écaler les œufs et laisser refroidir.

Mettre les pommes de terre dans une casserole d'eau salée, porter à ébullition et réduire le feu. Cuire encore 7 minutes, jusqu'à ce qu'elles soient tendres. Ajouter les haricots et les petits pois 2 minutes avant la fin de la cuisson, égoutter et rafraîchir à l'eau courante.

Couper les carottes en bâtonnets de 2,5 cm d'épaisseur et émietter le thon. Transférer dans un saladier, ajouter les légumes refroidis et bien mélanger.

Mélanger le jus de citron et la mayonnaise en battant de façon à l'épaissir légèrement, incorporer l'ail et saler et poivrer selon son goût. Napper la salade de la sauce obtenue.

Parsemer d'olives, de câpres et de cornichons, ajouter le persil et l'aneth et réserver au réfrigérateur. Sortir la salade du réfrigérateur avant de servir de sorte qu'elle soit à température ambiante. Couper les œufs en quartiers, disposer sur la salade et parsemer d'aneth.

CETTE RECETTE EST LA PLUS COMMUNÉMENT SERVIE DANS LES BARS À TAPAS. LES LÉGUMES PEUVENT VARIER MAIS LA BASE RÉSIDE DANS LES POMMES DE TERRE, LES CAROTTES ET LES HARICOTS. L'UTILISATION DU THON EST ÉGALEMENT TRÈS RÉPANDUE.

POMMES DE TERRE NOUVELLES À L'AÏOLI

POUR 6 À 8 PERSONNES
dans un repas composé de tapas

450 g de pommes de terre nouvelles

1 cuil. à soupe de persil plat frais haché

sel

Aïoli

1 jaune d'œuf, à température ambiante

1 cuil. à soupe de vinaigre de vin blanc ou de jus de citron

2 gousses d'ail, pelées

sel et poivre

5 cuil. à soupe d'huile d'olive vierge extra espagnole

5 cuil. à soupe d'huile de tournesol

Pour l'aïoli, mettre le jaune d'œuf, le vinaigre ou le jus de citron, l'ail, le sel et le poivre dans un robot de cuisine et mixer. Moteur en marche, ajouter l'huile d'olive en un mince filet et poursuivre avec l'huile de tournesol jusqu'à ce que la préparation soit homogène et épaisse.

Pour les pommes de terre, les couper éventuellement en deux ou en quartiers pour obtenir la taille d'une bouchée. Mettre les pommes de terre dans une casserole d'eau salée, porter à ébullition et réduire le feu. Cuire encore 7 minutes, jusqu'à ce qu'elles soient tendres. Égoutter et transférer dans une terrine.

Napper immédiatement les pommes de terre chaudes d'aïoli de façon à ce que les saveurs se mélangent et laisser reposer 20 minutes, jusqu'à ce que les pommes de terre soient aillées.

Transférer dans un plat de service chaud, parsemer de persil et saler selon son goût. Servir chaud ou réserver au réfrigérateur et servir froid.

DANS CETTE RECETTE, L'AÏOLI DOIT ÊTRE ASSEZ FLUIDE POUR ENROBER LES POMMES DE TERRE. INCORPOREZ 1 CUILLERÉE À SOUPE D'EAU, DE FAÇON À OBTENIR LA CONSISTANCE D'UNE VINAIGRETTE.

POMMES DE TERRE FRITES ÉPICÉES AU PAPRIKA

POUR 6 PERSONNES
dans un repas composé de tapas

3 cuil. à café de paprika

1 cuil. à café de cumin en poudre

1/4 à 1/2 cuil. à café de poivre de Cayenne

1/2 cuil. à café de sel

450 g de petites pommes de terre, pelées

huile de tournesol, pour la friture

brins de persil plat frais, en garniture

aïoli (*voir* page 92), en garniture (facultatif)

Mettre le paprika, le cumin, le poivre de Cayenne et le sel dans une terrine, mélanger et réserver.

Couper chaque pomme de terre en 8 quartiers. Chauffer l'huile de tournesol dans une sauteuse à fond épais, ajouter les quartiers de pommes de terre, en une seule couche, et faire frire 10 minutes, jusqu'à ce qu'ils soient dorés, en retournant de temps en temps. Retirer de la sauteuse à l'aide d'une écumoire et égoutter sur du papier absorbant.

Transférer dans une grande terrine, parsemer immédiatement du mélange à base de paprika et bien enrober.

Servir chaud, garni de brins de persil et éventuellement accompagné d'aïoli.

Ces pommes de terre sont également délicieuses nappées de sauce tomate (voir page 61) ou servies séparément pour tremper. Ce plat est alors appelé « Patatas Bravas ».

INDEX